Bibi-Oan Toba

Hakerek-na'in: Mayra Walsh
Ilustrasaun husi Ayan Saha

Library For All Ltd.

Bibi-Oan Toba

Publikasaun dahuluk 2021

Publikadu husi Library For All Ltd
Email: info@libraryforall.org
Website: libraryforall.org

Livru ida-ne'e bele prodús tanba simu suporta laran-luak husi Education Cooperation Program.

Ilustrasaun husi Ayan Saha

Bibi-Oan Toba
Walsh, Mayra
ISBN: 978-1-922621-42-9
SKU01939

Bibi-Oan Toba

Bibi-aman no bibi-inan hela
iha uma-du'ut ida iha foho.

3

Bibi-aman no bibi-inan iha
bibi-oan ida.

Antes toba, bibi-oan vizita nia kolega sira iha suku laran.

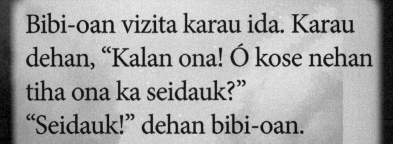

Bibi-oan vizita karau ida. Karau dehan, "Kalan ona! Ó kose nehan tiha ona ka seidauk?"
"Seidauk!" dehan bibi-oan.

Bibi-oan bá kose nia nehan.

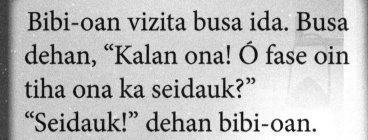

Bibi-oan vizita busa ida. Busa dehan, "Kalan ona! Ó fase oin tiha ona ka seidauk?"
"Seidauk!" dehan bibi-oan.

Bibi-oan bá fase nia oin.

15

Bibi-oan vizita manu ida.
Manu dehan, "Kalan ona!
Ó fase liman tiha ona ka
seidauk?"
"Seidauk!" dehan bibi-oan.

16

Bibi-oan bá fase nia liman.

Bibi-aman dehan,
"Ó-nia nehan moos ona.
Ó-nia oin moos ona.
Ó-nia liman moos ona."

Bibi-inan dehan, "Kalan ona! Ha'u-nia oan matenek, ó bele toba ona."

Bibi-oan kole ona. Nia bá toba kedas.

Ó bele uza pergunta hirak-ne'e hodi ko'alia kona-ba livru ne'e ho ó-nia família, belun sira no mestre sira.

Ó aprende saida husi livru ne'e?

Ho liafuan ida ka rua deskreve livru ne'e. Kómiku? Halo ta'uk? Halo kontente? Interesante?

Ó sente oinsá bainhira ó lee hotu tiha livru ne'e?

Parte ida ne'ebé mak ó gosta liuhosi livru ne'e?

Download ami-nia app ba lee-na'in sira iha getlibraryforall.org

Kona-ba kontribuidór sira

Library For All servisu hamutuk ho hakerek-na'in no artista sira husi mundu tomak atu dezenvolve istória ne'ebé relevante, kualidade di'ak no kona-ba tópiku oioin. Ami halo istória hirak-ne'e ba lee-na'in labarik no joven sira.

Vizita website libraryforall.org atu hetan informasaun atuál kona-ba ami-nia workshop ba hakerek-na'in, informasaun kona-ba oinsá atu submete livru ba publikasaun, no oportunidade kriativu seluk.

Ó gosta livru ne'e?

Ami iha istória orijinál atus ba atus ne'ebé ita bele lee.

Ami servisu hamutuk ho hakerek-na'in lokál sira, edukadór sira, konsellu kultura nian, Governu no ONG sira atu lori ksolok lee ba labarik sira iha fatin ne'ebé de'it.

Ó hatene?

Ami kria impaktu globál iha área hirak-ne'e tanba ami servisu tuir Objetivu Dezenvolvimentu Sustentavel Nasoens Unidas nian.

libraryforall.org